ALICE IN WUNDERBARLAND

ALICE
IN
WUNDERBARLAND

AND FURTHER TALES AND POEMS
MEIN GROSSFADER TOLD

BY

DAVE MORRAH

WITH DRAWINGS BY THE AUTHOR

RINEHART & COMPANY, INC.
NEW YORK · TORONTO

CONTENTS

ALICE IN WUNDERBARLAND

Alice in Wunderbarland

Ein youngisch fraulein genamen Alice ben drowsen mit droopisch eyelidden. Suddenisch, ein cottontailer ben passen mit outen-getooken ein tickentocker und mutteren.

Alice ist upjumpen und followen das cottontailer insiden ein stumpenholer. Ach! Mitout warnen der fallen ben commencen, und der fraulein ist landen mit ein dullisch thudden! Alice ben shooken der headser mit clearen der peepers, und ist watchen das cottontailer disappearen insiden ein smallisch door.

Ein bottler ben sitten ontoppen der tabler closer besiden. Der fraulein ist tilten das bottler und swiggen. Mitout ein chaser! Ach, du leiber! Der downshrinken ben starten, und sooner Alice ben smallisch! Ist der fraulein followen das cottontailer insiden der door? Nein. Der key ben outsiden der reachen.

Alice ben snoopen und finden ein sweetencake. Mit nibblen das sweetencake, der fraulein ist upswellen und quickisch ben fillen der hallenway. Der crampen ben tightisch! Ist Alice upgiven mit disgusten? Nein! Der fraulein ist tilten das bottler und swiggen. Der downshrinken ben starten mit grosser rushen, und Alice ist nibblen der sweetencake! Mit der upswellen und der downshrinken und der nibblen und der swiggen, der fraulein ben sooner oberstuffen und drunkisch. Himmel! Alice ist outen-gepassen und der goofisch dreamers ben gecomen mit grinnen kittenkats und crawlerpillars und

hatters und talken buddenbloomers und heartenqueeners
und—ist ein rattenracer!

Later, der fraulein ist upwoken and tellen der
dreamers. Ach! Der Fader und Mutter ben spanken das
youngisch fibbenteller!

Das Lion und der Mousen

Ein grosser lion ben sleepen mit snoren, und der
smallisch micers ist runnen und skippen und oberjumpen
der feeten. Suddenisch, das lion ben upwoken und
catchen ein mouser! Ach, der mouser ist beggen und
pleaden mit weepen und wailen. Das lion ben upfullen,
mitout needen der eaten, und ist loosen-geturnen der
smallischer.

Later das lion ben upcaughten mit ein strongisch
netten der huntentrappers ist outsetten. Ach, du leiber!
Der roaren und snarlen ben awfullisch! Finaller, der

mouser ist hearen der noisers und uprunnen mit break-
necken speeden.

"Mein gooten friend!" das lion ben exclaimen. "Out-
cutten meinself mit gnawen der netten. Ich ben up-
caughten in der mornen, und nightfallen ist sooner
arriven."

Ist der mouser ein dumkopf mit releasen ein grosser
lion upshutten since der mornen mitout eaten? Himmel,
nein!

Jack und der Beanstalkers

Jack und der mamma ben poorisch folkers mitout ein pfennig, und der mamma ist keepen ein droopisch cow. Ist das cow ben outgaben der milch? Nein! Das cow ist ein swaybacker mit outpoken ribbers. Finaller, der mamma ist senden Jack insiden der town mit sellen das schtunken cow und offkeepen der hungers.

Jack ben ein stupischer, und sooner mit reachen der town ist traden das cow und getten ein stewpotten upfullen mit beans. Ach, der beans ben dry und shrivelisch!

Der mamma ist oberfumen und schnorten mit angers und tossen der beans outsiden der window! Mit nightfallen, ein gentlisch rain ist gecomen, und in der mornen, der warmisch sun ist outgleamen. Ein week ben passen, und der beans ben sprouten. Ach, du leiber! Der growen ist outlandisch, und finaller der stalkers ist reachen der cloudenfluffers! In der meantimers, Jack und der mamma ben starven.

Robin, der Hooder

Robin, der Hooder, ben ein shrewdisch outenlaw hiden insiden das Scheervoot Forest. Mit Robin ist upgangen ein gemutlicher groupen, includen Littlisch Johann, das grosser staffenclouter. Johann ben upmeeten Robin mit crossen ein smallisch bridger. Mitout waiten, der fighten mit staffers ist starten. Ach! Der swingen und noggen-gebusten ben fiercisch!

Finaller, Johann ist konken der Hooder mit ein terrificker schlammen, und Robin ben landen in der creekenbedden. Mit quitten der fighten, Johann und der Hooder ist shooken handsers, und Johann ben joinen der upgangers. Ist dumbisch, ja?

Also mit der groupen ben Allen von Dale und das Tuckenfriar und Wilhelm, der Reddischer.

Robin und der helpers ben upsticken der richenfolkers und helpen der poorischers. Ist goot? Himmel, nein! Ein thiefenstealer ist ein thiefenstealer mit deserven der jailenhausen!

Das Goldt Touchen

Midas ben ein greedisch Kinger mit wanten der goldt piecers. Ach! Der fingers ben itchen, und das Kinger ist wishen der budden-bloomers in der garten ist goldt, und also der cloudenfluffers oberheaden gesailen.

Midas ben counten der richers insiden der storehousen, und suddenisch ein Magicker ist appearen. Der Magicker ben maken ein offer mit granten das Kinger's wishen. Himmel! Midas ben upjumpen und clicken der heelers und shouten mit gleefullen!

"Ich ben wishen mein touchen ist producen der goldt," das Kinger ben beggen.

Der Magicker ist granten der wishen und departen.

Ach du leiber! Midas ben outrunnen mit touchen der shrubben-bushers und flowerpotten, und soonisch der royalisch garten ist goldten!

Finaller, das Kinger ben downsitten mit eaten. Ach! Mit das touchen der fooden-stuffers ist becomen goldt! Der smallisch Princesser ben upcomen, und Midas ben patten der noggen. Himmel! Der Princesser ist becomen goldt!

Ist das Kinger ben upfullen mit delighten? Ist Midas ben gloaten mit der hoarden? Nein! Mit testen, das Kinger ist discoveren der Magicker ben ein hoaxer, und das touchen ist producen der thinnisch goldt-platen. Midas ben downcasten mit gloomerpussen, und sooner ist lawsuiten der Magicker.

Peter Panzer

Ein Fader und Mama ben offtooten und attenden ein carousenfest, mit leaven der sleepen youngischers. Also, das Fader ist upchainen der nursenmaider, ein grosser poochenpup, und der kindergartners ben mitout guarden.

Suddenisch, Peter Panzer ist arriven. Peter ben ein childischer mitout upgrowen, und ist ein flyer mit uppengezoomen und obersailen. Ach! Peter ben ein swooper!

Der youngischers—Wendisch, ein fraulein, Johann und Mickel—ist upwoken mit startlisch jerken. "Ein snooper!" Wendisch ben screamen. "Raus mit uns!"

"Nein, nein," Peter ist explainen. "Ich ben hunten mein shadowflitter." Arriven mit Peter ben Tinkler, ein smallisch fairyfolker. Tinkler ist gleamen mit sparklen und outgaben ein dingerlingen. Tinkler ben hunten und finden das missen shadowflitter, und Wendisch ben helpen mit der onstitchen. Ach! Das needler ist hurten und Peter ben outyellen mit complainen!

Soonisch, der stitchen ist ober, und Peter ben teachen der flyen. Himmel! Das bumpen und fallen und colliden! Finaller, der youngischers ist learnen und outsailen mit departen.

Peter ben guiden der flyers und reachen das Nefferlande. Ach, du leiber! Der countrysiden ist teemen und oberflowen mit youngischers und Reddenskinners und wickedisch Piraters! Und also ein grosser krockendiler mit ein tickentocker insiden!

Der Piraters ben chasen Peter und der youngischers,

und der Reddenskinners ben chasen der Piraters. Das tickisch krockendiler ist trailen und licken der choppers mit hopen Herr Kaptain Hooker ist oberboarden gefallen.

Der craftisch Piraters ben trappen der youngischers, mitout Peter, und plannen der plankwalken. Suddenisch, Peter ist appearen mit outgaben ein cockerdoodler. Ach! Das fighten ben upstarten, und der killen ist awfullisch!

Righten und leften das fighten ben ragen, und backen-forthen mit nippen-getucken und bloodenspillen!

Finaller, Peter Panzer und der youngischers ist winnen, und das krockendiler ben eaten Herr Hooker. Wendisch und Johann und Mickel ben upfedden mit das Nefferlande und undertooken der homencomen. Peter ist nicht liken der disbanden und ben poutisch mit refusen der guiden.

Wendisch und Johann und Mickel ist outstarten und sooner ben maken ein wrongisch turnen. Himmel! Der youngischers ist disappearen mitout ein tracer.

Pussenbooter

Pussenbooter, ein smartisch kittenkat, ben stayen mit der poorisch master—ein starven dumkopf. Himmel! Das donderhead ist nicht earnen ein pfennig!

Der kittenkat ben sooner disgusten mit der skimpen und ist plotten ein schemer. Mit onputten der booters und ein plumisch topknotter, der kittenkat ist tooken ein sack upfullen mit oaten-grainers und trappen ein fattisch cottontailer.

Pussenbooter ben visiten das rulen Kinger und claimen, "Mein master ist senden der cottontailer mit greeten." Ober und ober, der kittenkat ist tooken gifters und tellen das Kinger der master ben ein noblischer mit ein grosser Kastle.

Finaller, das Kinger und der Princesser ben outriden mit meeten das noblisch giften-gesender. Der trickisch Puss ist beggen der master ben washen in ein creeker, und das dumkopf ist offshucken der clothers. Quickisch, mitout waiten, Puss ben hiden der raggentatters und outscreamen mit attracten das passen Kinger, "Mein master ist drownen, und thiefenstealers ben tooken der clothers!"

Das Kinger ist stoppen mit helpen, und Puss ben suggesten der royalisch folkers ist visiten der master's Kastle. Das Kinger ben accepten. Ach! Puss ben aheadengerushen und reachen der Kastle ein grosser Ogre ist ownen. Ach, du leiber! Das Ogre ist ein giganticker mit sharpisch toothenchompers! Insiden der Kastle, Puss ben

flatteren das Ogre und asken, "Ist das Ogre ein smartisch Magicker mit changen der shapen?"

"Ja, ja! Ich ben ein Magicker," das Ogre ben answeren. Suddenisch, mit flashenpoofen, ein Lion ist appearen.

"Goot! Goot!" Puss ben applauden. "Ist das Ogre also smartisch und becomen ein squeaken-mouser?"

Mit offshowen, das Ogre ist becomen ein smallisch squeaken-mouser.

Ach! Puss ben leapen-gespringen und upgobblen der mouser mitout chewen. Insiden der kittenkat, der mouser ist getten maddisch und worken der spellencasten mit resumen das Ogre shapen. Himmel! Der Puss ist upswellen und exploden mit ein loudisch reporten!

Hierwasser,
das Reddenskinner

Hierwasser ben ein youngisch reddenskinner mit ein pinfluffer outsticken der topknotten. Hierwasser ist stayen mit Nokomisch, der Grossmama, besiden ein ripplen wasserlake genamen Gitchel Gloomisch.

Duren der daylighten, Hierwasser ben playen mit der flickentailers und der chippenmunkers und talken mit der chirpers und butterflitters.

Mit nightfallen, Nokomisch ist singen ein soothen sleepensonger:

> Wah von tsetse, smallisch blitzbug,
> Smallisch, blinken blitzengleamer,
> Smallisch, dancen lighten-sparker,
> Up-gelitten mit der candler,
> Lit der snoozer on der bedden,
> Snoozen mit der shutten-peepers!

Ach! Sooner mit sleepen, Hierwasser ben dreamen der blitzengleamers ist attacken, und der youngischer ben upwoken mit outscreamen!

Summers ben passen, und Hierwasser ist growen und becomen strongisch mit der musclers und also der smellen. Mitout fearen, das reddenskinner ist obercomen der wolfers and grizzlers; Hierwasser ben fighten Muchenkeewisch, der Western-puffer; und der starven mitout eaten ist nicht upsetten das bravisch reddenskinner.

Hierwasser ben also smoken der peacen-piper; und sailen der tippisch birchenbarker; und gehooken der grosser fishen; und courten mit winnen ein frau; und moanen und groanen mit gloomerpussen; und outengehunten der mischiefers; und becomen ein Chiefer. Ach! Das reddenskinner ben ein rippenschnorter!

Ist Hierwasser ben ein winnen Chiefer mitout receiven der defeaten. Ist der strongisch musclers helpen mit rulen das countrysiden? Himmel, nein! Mitout warnen, der Europenfolkers ist arriven mit blunderbussen, und Hierwassen ben kaput!

Das Courten

Der costen mit courten ben steepisch,
    Und winnen ein frau ist nicht cheapisch;
        Unlessen der spenden
        Ist never ben enden,
Der frauleins ben pouten und weepisch.

Der Buddensniffer

Der flowers ben budden und bloomen,
    Outpoofen der sweetisch perfumen.
Der sniffer ben smellen
    Und loudisch outyellen—
Ein bee in der schnozzle ben zoomen!

Das Flirter

Ein Fraulein mit curven geloaden
Ben serven das pie alamoden.
Der eater ben flirten,
Und ach! das desserten
Geschplat in der face ben exploden!

Der Bridencooker

Ein bride ben attempten der cooken
Mit readen ein cookischer booken.
Der groom ben getasten
Das gummischer pasten,
Und quickisch der bride ben forsooken!

Der Bouncenjiggler

Ein Frau on der horsebacken riden
Ben bouncen und jigglen und sliden.
Der horser ben stoppen
Das clippety-cloppen,
Mit resten der achen backsiden.

Der Whizzenspeeders

Der automobilers ben speeden,
Das limit mit whizzen exceeden.
Der dummoxers steeren
Mitouten der fearen,
Ein gooten gespanken ben needen!

Mein Grossfader's Wisenpouten

1. Ein stone mit der rollen ist nicht gestuck mit der schtunken clingen-moss.
2. Das finalisch laugher ben getten der gooten chucklen und oftenisch ein clouten on der schnozzler.
3. Der smokenpuffen ist meanen das sizzlenblazer ben quitten.
4. Ein poochenpup mit der barken ist sooner stoppen und biten.

5. Ein chirpenwarbler in der hand ist nicht singen.

6. Soonisch mit sleepen und soonisch mit waken,
   Ein dullischer donderhead soonisch ben maken.

7. Ist ein rottenisch apfel spoilen der barrel? Nein! Das schtunker ben spoilen der apfels insiden der barrel.

8. Sparen der rod ist nicht spoilen ein youngischer, unlessen der Fader ben also sparen der beltenstrapper.

9. Mit smilen, der world ben smilen mit,
   Mit weepen, der dumkopfs ist laughen in der facer.

10. Ein stitchen getooken mitout waiten ist preventen der exposen mit embarrassers.

11. Der soonisch chirper ben smartisch mit catchen der wigglewormer. Folkers ist nicht needen wigglewormers.

12. Leaden ein clippenclopper besiden der wasserhole ist simplisch, und clippencloppers ben generalisch drinken mitout urgen.

13. Mit closer watchen der pfennigs, das importantisch money ben escapen der graspen.

14. Upwedden in hasten mit avoiden der grosser expensers.

Rip Von Winkler

Rip von Winkler ben ein loafer mitout worken. Mit snoozen und whittlen, Rip ben passen der time. Der frau ist ein scolder mit sharpisch talken. Ist Rip ben upfullen mit joy? Ach, nein! Finaller, das Winkler ben tooken der pooch und climben der Kattenskillers.

Suddener, das rumblen donder ben sounden, mitout

blitzen, und Rip ist finden der smallisch elfers. Der elfers ben rollen der bowlers mit loudisch clatteren. Der elfers ist also drinken mit liften ein jug und gulpen.

Rip ben watchen und der elfers ist offeren das jug. Mit grosser gulpen, Herr Winkler ben drinken. Ach! Der outen-gepassen ist quickisch und Rip ben snoren und wheezen!

Finaller das upwoken ist gecomen. Der noggen ben splitten mit achen. Das beard ben reachen der knees. Der shooter ist obercrusten mit rusten, und der pooch ben missen. Mit ein flashen, Rip ist recallen der drinken und der elfers. Rip ist also recallen der frau, mit shudderen. Ist das Winkler returnen? Himmel, nein! Rip ben finden das jug und repeaten der gulpen und der outen-gepassen!

Hansel und Gretel

Hansel und Gretel ben youngischers mit ein dumbisch Fader und ein schtunken Steppenmutter. Der Fader ist ein stupischer mitout upfullen der cuppenboarder. Der cruelisch Steppenmutter ben claimen Hansel und Gretel ist burdeners, und ben suggesten der Fader ist deserten der youngischers insiden der darkisch woodsers.

Der Fader ben followen das suggesten und tooken Hansel und Gretel insiden der darkisch woodsers. Hansel ist suspecten ein trickenschemen und ben droppen der breaden-crumbers mit marken ein pathenway.

Suddenisch, der Fader ist offsneaken und disappearen! Ach! Gretel ben bawlen mit drizzlepussen und wailen mit sobbenheavers. Hansel ist consolen der weepen fraulein und starten ein backtracken mit hunten der breaden-crumbers. Ist Hansel ben finden das pathenway? Himmel, nein! Der birdsers ben upeaten der marken crumbers, und der youngischers ist lostenfolk.

Nightfallen ist arriven mit pitchenblackisch darken gefallen. Hansel und Gretel ben upcurlen und snoozen. Mit mornen gecomen, ein gleamisch birdser ist oberflappen und singen mit grosser chirpenwarblen. Der youngischers ben followen das chirper und reachen ein smallisch dwellenhousen. Ach, du leiber! Der housen ben gingerbreaders und sweetenmeaters! Hansel und Gretel ist beginnen der nibblen, und mitout warnen ein oldisch frau ben outrushen mit screamen und stoppen der tasten.

Der frau ist ein Witcher! Himmel!

Das Witcher ben uplocken Hansel insiden ein strongisch cager. Hansel ist kicken und yellen und shooken das cager mitout escapen.

Das Witcher also ben maken Gretel ein workenslaver. Ach! Der youngisch fraulein ist upsweepen mit ein broomer und scrubben mit ein swabben-gemopper und haulen der wasser und choppen der loggers, und diggen der deepisch ditchentrenchers.

Finaller, das cruelisch Witcher ben upheaten das cookenstover und beggen Gretel ist crawlen insiden. Gretel ben refusen und claimen das cooker ist smallisch mit crampen der outstretchen. Das Witcher ben oberleanen mit proven das cooker ist nicht smallisch, und

Gretel ben pushen der haggisch frau insiden mit schlammen der door!

Mitout warnen ein spellencasten ist broken, und der gleamisch chirper ist becomen ein Princer! Gretel ben loosen-geturnen Hansel, und das cager ist becomen goldt piecers und jewelisch gleamers! Mit sparklen!

Der youngischers ben upscoopen der richers und outstarten mit departen. In der meantimers, der Fader und Steppenmutter ist repenten der meanisch deserten und ben outlooken mit hunten Hansel und Gretel.

Mit finden der youngischers, Der Fader und Steppenmutter ist bubblen mit delighten und droolen mit spotten der richers.

Hansel und Gretel ben scornen der greeten, mit snooten der Fader und Steppenmutter, und keepen der goldt piecers und sparklers; mitout dividen!

Der Littlisch Oinkenporkers

Ein, zwei, drei littlisch porkers ben wallowen in der oozisch muddenpuddler. Ach! Der oink-oinken ben loudisch. Der oinkenporkers ist Hans, Emil und Ludwig. Finaller, mit obertalken und plannen, der porkers ben deciden der selfers ist needen der sleepenhousen mit offkeepen der wolfers.

Hans ben maken ein smallisch strawhousen. Sooner mit der completen, ein grosser growlenwolfer ist up-sneaken.

"Ich ben wanten insiden der house," das wolfer ist announcen, mit gruffisch voicen.

"Nein, nein!" Hans ben callen. "By der frizzen on mein underlippen, wolfers ist nicht insiden ge-slippen."

Das wolfer ben upswellen und blowen mit blastisch huffenpuffen. Ach, du leiber! mitout resisten der small-isch strawhousen ist collapsen ontoppen das wolfer. Mit quickisch acten, Hans ben uptooken ein pitchenforker und stabben das growler!

Emil ben maken ein smallisch stickhousen. Sooner mit der completen, ein grosser growlenwolfer ist up-sneaken.

"Ich ben wanten insiden der house," das wolfer ist announcen mit gruffisch voicen.

"Nein, nein!" Emil ben callen. "By der frizzen on mein underlippen, wolfers ist nicht insiden ge-slippen."

Das wolfer ben upswellen und blowen mit blastisch huffenpuffen. Ach, du leiber! mitout resisten der smallisch stickhousen ist collapsen ontoppen das wolfer. Mit quickisch acten, Emil ben striken ein matchenflamer und setten der blazen mit cooken das growler!

Ist Ludwig ben builden ein brickhousen mit off-keepen der wolfers? Himmel, nein! All der wolfers in der countrysiden ist deadisch.

Der Townmouser und der Hayseedenmouser

Ein stylisch townmouser ben visiten ein hickisch hayseedenmouser. Der townmouser ist ein highfaluten cutischer, hobnobben mit der snootengroupers und flirten mit der golfenclubbers.

Der hayseeder ben housekeepen besiden ein corncribber, und ist serven ein platter uppen-gepilen mit grainers. Der townmouser ben eaten mit sniffisch picken und departen.

Later, der hayseedenmouser ist returnen der visiten. Ach! Der offshowen townmouser ben pitchen ein grosser whingendinger mit bubblen-wasser und musickers und dancen und gamblen mit tossen der dicers und spinnen der guessen-wheeler!

Suddenisch, ein snarlen kittenkat ben raiden das gatheren! Himmel! Der scatteren und scamperen ist quickisch! Der townmouser ben runnen mitout stoppen ober der hillsiden und finaller ist reachen das corncribber. "Ach!" der townmouser ist exclaimen mit panten und tremblen, "Ich ben quitten das carousen und rooten-tooten, und uptooken der simplisch liven."

Ist der hayseeder escapen? Ja! Ein gooten looker mit curlen moustachers ist saven der fraulein mit hiden insiden ein darkisch cubbenholer. Himmel, mit courten

und cuddlen und lippen-kissen, das gooten looker ben oberwhelmen der hayseeder mit proposen!

After der upwedden, der hayseedenmouser ist becomen stylisch, und hobnobben mit der snootengroupers und flirten mit der golfenclubbers.

Snowisch Whiten

Snowisch Whiten ben ein smallisch Princesser mit reddisch lippen und blackisch tressers. Der fraulein ben daintisch und upfullen mit charmisch gracen.

Der Queener ist ein Steppenmutter und ben vainisch mit strutten und primpen und preenen. In der mornen, mitout failen, der hautisch Queener ist asken ein magicker looken-glasser:

> "Looken-glasser on der wall,
> Ist meinself fairisch ober all?"

Das looken-glasser ben answeren:

> "Der Queener ober all ist fairisch."

Snowisch Whiten ben upgrowen und becomen ein cutisch fraulein. Ach, ein outknocken beautischer! Sooner, der Queener ist asken das looken-glasser:

> "Looken-glasser on der wall,
> Ist meinself fairisch ober all"

Ach, du leiber! Das glasser ben answeren:

> "Ober all ist Snowisch Whiten."

Himmel! Der Queener ben outragen und ranten und screamen und doomen Snowisch Whiten mit oathen-cursen. Das haten ist upswellen, und finaller der wicked-isch Queener ben directen ein hunter ist tooken der Princesser insiden der woodsers mit outcutten der heart-enthumper.

Das hunter ben ein softischer und ist nicht followen der directen. Insteaden, das hunter ben killen ein wildisch tuskensnouter und outcutten der hearten. Mit presenten der hearten, das hunter ist fibben und reporten Snowisch Whiten ben deadisch.

Der youngisch Princesser ist wanderen und finden ein smallisch housen in der woodsers. Snowisch Whiten ben tasten der foodenstuffen und drinken der winers und finden ein beddenstedder mit sleepen.

Nightfallen ist gecomen und der housendwellers ben returnen. Ach! Der dwellers ist Dwarfenfolk! Ein, zwei, drei, fier, fünf, sechs, seben dwarfers! Der dwarfers ben upwoken Snowisch Whiten und deciden der fraulein ist maken ein gooten housenkeeper.

In der mornen, der Queen ben quizzen das looken-glasser mitout doubten der answeren:

> "Looken-glasser on der wall,
> Ist meinself fairisch ober all?"

Das glasser ist responden:

> "Snowisch Whiten ist remainen
> Fairisch ober all ge-reignen."

Der Queener ben dumfounden und departen mit destroyen Snowisch Whiten. Outfitten mit ein disguiser, der Queener ist visiten das smallisch housen in der woodsers. Mit offeren softisch silkers, der cruelisch frau ist getten insiden und tightisch uplacen der Princesser. Ach! Snowisch Whiten ben oberkeelen, und der Queener ist offsneaken mit thinken der fraulein ist deadisch.

Ist? Nein! In der nickentimers, der dwarfers ben returnen und saven der housenkeeper.

Mit reachen der Kastle, der Queener ist quizzen das looken-glasser:

> "Looken-glasser on der wall,
> Ist meinself fairisch ober all?"

Das glasser ist responden:

> "Snowisch Whiten ist remainen
> Fairisch ober all ge-reignen."

Himmel! Der Queener ben snorten mit foamisch frothen! Mitout delayen, der cruelisch frau ist changen der disguisen und tooken ein tressen-comber oberloaden mit poisoners und visiten Snowisch Whiten. Der Princesser ben sticken das comber in der tressers und out-konken. Der Queener ist offsneaken mit thinken der fraulein ist kaput.

Ist? Nein! Der dwarfers ben returnen und removen der comber mit saven der housenkeeper. Ein closer shaven!

Der nexter mornen, das looken-glasser ist tellen der Queener Snowisch Whiten ist remainen fairisch ober all. Der Queener ben gloomisch mit moanen und groanen und ist maken ein apfel upfullen mit deadlisch poisoners.

Mit speedisch rushen, der schtunker ben tooken das apfel und visiten der dwarfenhouse. Snowisch Whiten ist biten das apfel und collapsen mit hearten-stoppen. Der Queener ben chucklen und returnen to der Kastle.

Sooner, der dwarfers ist upcomen und finden Snowisch Whiten. "Vas ist causen der killen?" der dwarfers ben asken. Der smallischers ist puzzlen ober der causen und, mitout thinken, ben nibblen das apfel der groupen ist finden besiden der corpser. Der poisoners ben worken quickisch und ein, zwei, drei, fier, fünf, sechs, seben dwarfers ben sooner oberkeelen mit joinen Snowisch Whiten.

Das looken-glasser ben announcen:

"Der Queener ober all ist fairisch."

Der Sky Ben Fallen

Chicken Littler ben walken der woodsers insiden. Mitout warnen, ein seeden-podder ben fallen und hitten der backsiden. "Ach, du leiber!" das dumkopf ist chirpen, "Der sky ben fallen!"

Chicken Littler ist rushen lickety-splitten mit pell-mellen und tellen Henner Penner, "Der sky ben fallen und hitten mein backsiden!"

"Ach!" Henner Penner ist clucken, "Ich ben off-tooten mit tellen das Kinger."

Soonisch, der gobblen Turken Lurker und der quacken Ducken Lucker und der honken Goosen Looser ist joinen der runnen, mit pinfluffers geflyen.

Der rushengrupe ben proceeden und upmeeten mit das craftisch Foxer Loxer. "Vas ist?" das Foxer ist asken.

"Der sky ben fallen und hitten mein backsiden!" Chicken Littler ben explainen. "Der clucker und der gobbler und der quacker und der honker und also meinself ist runnen mit tellen das Kinger."

Das schtunken Foxer ben cooken ein schemer mit upeaten der fowlenfolk. "Ein shortencut ist starten insiden mein denhaus," das Foxer ist suggesten.

Der donderheads ben marchen insiden, und quickisch das Foxer ben attacken. Himmel! Ist ein mistooker! Der fowlers ist outnumberen das schtunker, und ben onslaughten mit pecken und flailen und scratchen! Das Foxer Loxer ist departen mit breaknecken speeden!

Das Blackenschmidt

Der spreadisch nutten tree beneath
    Das loafen schmidt ben sitten,
Gnawen nailers mit der teeth
    Und mit der fire unlitten.
Ist der brow ben steamisch hot
    Und wet mit drippisch beaden?
Ist ein horse ben on der lot
    Mit newisch shoes geneeden?
Nein! Der cars gezoomen fast
    Ben passen mitout stoppen.
Ach, der horse ist aus-gepast
    Und gone der clippencloppen!

Maria und der Lamb

Maria habst der smallisch lamb
    Mit fleecen snowisch whiten;
Maria nicht ben travelen
    Mitout der lamb inviten.

Der fraulein to das schoolenhaus
    Der dumbisch lamb ben tooken.
Der youngischers ist chucklen out,
    Und gigglen mit der looken.

Das teacher-frau der dumbisch lamb
    Ben sooner out-gethrowen,
Und vas ist in der schoolenbooke
    Der lamb ist nicht ben knowen.

Das Humperdump

Das Humperdump on der wall ben sitten
Und downer-gefallen mit splattisch hitten.
Der horsers und riders das King ben senden
Ben scramblen das Hump und completen der enden.

Ein Oldischer Frau

Ein oldischer frau in der shoe ben gestayen
    Mit youngischers swarmen und rounder-geplayen.
Upserven der soupers mitouten der breaden,
    Das frau ben gestuffen der bratters in bedden.

Das Arrow und der Song

Ein arrow Ich ben up-geshot;
    Der fallen Ich ben knowen not.
Ist peepers keen und sharpisch bright,
    Mit followen das speeden flight?

Ein song meinself ben singen out,
    Der landen ben in deepisch doubt.
Ist peepers out ge-looken strong,
    Mit tracken der departen song?

Der schtunken song ist nicht ben found,
    Der air ben still, mitout ein sound.
But, Ach! Das arrow met der end,
    Upsticken in ein gooten friend!

EIN PUTTERDACTER ATTACKEN
EIN BRONTOSCHNORKER

MEIN GROSSFÄDER'S

HISTORICKER BOOKE
(DAS EARLISCHER PART)

DER AWFULLISCH
TYRANNOSCHNORTER

Der World ben Upstarten

Mitout warnen, der world ben upstarten, und soon-isch der grosser donderclompers ist oberwalken der earthen mit shooken der underfooten. Ach, du leiber!

Der Brontoschnorkers und Dipfeldonkers ben gigan-tickers mit smallisch noggens. Der dumkopfs ist eaten leafers und greenisch tendershooten und ben runnen mit der fighten gecomen.

Der Tyrannoschnorters ben outfitten mit sharpisch bitentoothers und ben awfullisch! Ach!

Der Putterdacters ist uppen-gesailen mit screamisch whistlen und diven mit attacken der earthenwalkers!

Finaller, der outsizen beasters ben upgobblen der fooden und also der selfers, und ist sinken in der oozisch muddenpuddlers.

Folkers ist Arriven

Mit der fiercisch earthenshookers departen, Folkers ist arriven. Himmel! Das beginnen ben strugglisch! Der snarlen swordentoothers ist prowlen, und der wigglen-snakers ist crawlen. Ach, du leiber! Der Folkers ben hiden und watchen mit skittisch outpeepen.

Summer ben passen und ein coldisch freezenspelle ist upsneaken. Ach! Der Folkers ben huddlen mit shaken und shiveren und needen der upwarmen. Suddenisch, ein smartisch thinker ben declaren, "Meinself ist becomen ein icen-cuber. Ich ben offtooten mit hunten der hotten-burner."

"Vas ist der hottenburner?" der Folkers ist asken.

"Ach, ist meinself knowen?" das smartischer ben retorten. "Ich ben tellen after der finden."

Mitout waiten, das smartischer ben departen ober der hillsiden und hunten der hottenburner.

Der Hottenburner

Der stingisch breezers ben oberwhippen der freezen Folkers, und das stiffenen ist sooner upstarten. Suddenisch, ein outwatcher ben yellen, "Das smartischer ist returnen mit der hottenburner!"

Das smartischer ben uprushen mit breaknecken speeden. Ach, Himmel! Der backsiden ben smoken und blazen! "Meinself ist finden der hottenburner!" das smartischer ben screamen. "Ich ben scorchen und needen der helpen mit der outputten!"

Der shiveren Folkers ben delighten mit der upwarmen und ist gatheren mit enjoyen der hottenburner. Ach, du leiber! Das sizzlen smartischer ben sooner uppengeburnen!

Ober und ober, mit drawen strawstickers, der Folkers ist selecten outrunners mit fetchen der hottenburner. Himmel! Unlessen das winter ben finaller passen, all der Folkers ist becomen cinders.

Stoppen der Fighten

Der Folkers ben wanderen und climben ein steepisch hilltoppen. Suddenisch, der outenscouters ist backtracken mit reporten der Outlanders! Der Folkers ben upcreepen und watchen. Ach! Der Outlander frauleins ist cutisch, und der Folkers ben plotten der attacken. Daybreaken ben gecomen, und das fighten ist starten mit kicken und biten und scratchen!

Mitout warnen, ein attacken Folker ben uptooken ein stick und swingen mit bashen der skullers! Himmel! Das stick ben ein oberwhelmen surpriser, und der Outlanders ist quickisch upgiven mit quitten der fighten. Soonisch, der losers ben protesten, "Fighten mit ein stick ist unfairisch." Der Folkers und der Outlanders ben holden ein meeten und outlawen der fighten mit ein stick.

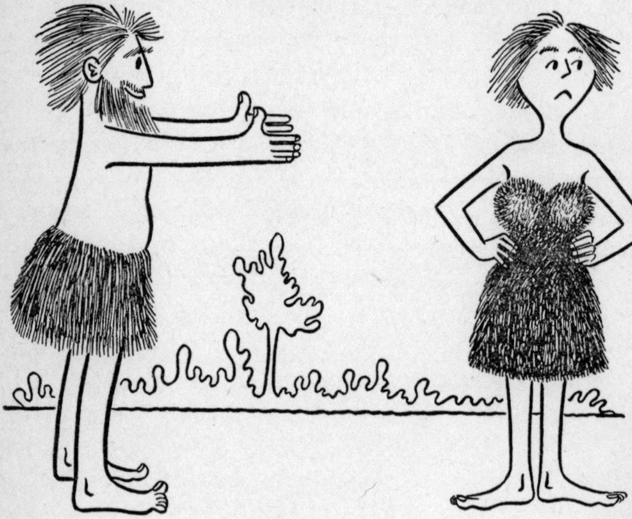

Der Upwedden ist Beginnen

Der Outlander frauleins ben balken mit joinen der Folkers und demanden der upwedden. Ach! Sooner mit hooken der dumkopfs, der wifers ist starten das naggen und wanten.

Mit builden housers und finden foodenstuffers und providen furrisch coaters, der Folkers ben quitten das wanderen und der civilizen ist starten. Youngischers ben gecomen und upgrowen mit outspreaden. Soonisch, der liven ist nicht simplisch!

Der Civilizen ist Gecomen

After der civilizen ist starten, der Babylonickers und Egypters und Chinesers und Pfoeniciers und Greekers und India-folken und Romischers und Europers ben gecomen.

Der Babylonickers ben upthinken ein jigglisch writen mit carven der stoners.

Der Egypters ben looken sidewisen und standen frontwisen, excepten der footsers. Ach! Das twisten ist screamisch. Der ruler ben ein Pfaro.

Der Chinesers ben offstandisch mitout visiten, und builden ein wall.

Der Pfoeniciers ben maken glassenware.

Der Greekers ben destructen der Troyfolken mit builden ein grosser woodenisch horser—ein clippenclopper mit wheelers—und hiden insiden.

Der India-folken ben upclimben der ropers und sitten ontoppen der sharpisch stickenspikers.

Der Romischers ben conqueren der Greekers und Europers und ist finaller collapsen.

Der Europers ben outsailen mit obercrossen das Atlanticker und finden der United Staters crawlen mit Reddenskinners.